LE **MONDE FOU**
DU
FOOTBALL

Bill Stott

EXLEY
PARIS · LONDRES

A paraître dans la même collection :
Le monde fou du CHAT
Le monde fou du RUGBY
Le monde fou du GOLF

Éditions Exley s.a. 1998 pour l'édition française, 13, rue de Genval B-1301 BIERGES
Tél. : 32 (2) 654 05 02 - Fax : 32 (2) 652 18 34.

ISBN 2-87388-124-0

D/1998/7003/1

12 11 10 9 8 7 6 5 4 3 2 1

« Vous aimez ? C'est une de mes premières chansons de foot. »

« Alors, ce match ? Tu t'es bien amusé ? »

« Un cauchemar... nous avons gagné dix-zéro. Pas de chahut...
pas de jets de canettes sur le gardien... rien, quoi ! »

« Un spectateur vous a bombardé? Vous insinuez qu'il y a
des <u>spectateurs</u> autour de ce terrain? »

« Ecrase, Michel, tu étais hors-jeu... »

« Primo: ma mère et mon père étaient mariés. Deuzio: vous étiez hors-jeu de cinq mètres. Tertio: encore un mot et je vous rentre dans le lard ! »

①

« Mais c'est ce c... d'arbitre qui n'a pas vu cette faute dans le rectangle ! »

« Ouais... sept-zéro. On ne se contente pas de soutenir notre club, on le propulse. »

« Oh, ils prennent cette attitude automatiquement.
Pour les coups francs. »

« On répète, patron. C'est super, cette technique de se tordre
de douleur et de beugler dès qu'un adversaire fait mine de vous jouer
un peu trop près. »

« Vas-y ! A gauche ! Tout droit ! Feinte-le ! Le petit pont ! Oui ! Oui ! Bloque ! »

« Y a des fois où j'me dis que j'frais aussi bien d'causer à mon clebs ! »

« Superbe goal, Michel !... Mais où est passé Michel ? »

« Il y a quelqu'un qui voudrait vous parler. Il dit qu'il cherche
de nouveaux acteurs pour un film d'horreur. »

« Le règlement ne prévoit pas que la maman du centre-avant se précipite sur le terrain chaque fois que son fiston est bousculé ! »

« Il répète le match de ce soir. »

« Et, bien sûr, rien, dans le règlement, n'interdit ce type de grimace ! »

« Hors jeu! Hors jeu! Ce type est aveugle - AVEUGLE!! »

« Vous disiez ? »

« Euh ! Bien vu, arbitre, bien vu ! »

« Je t'avais bien dit que ces luxembourgeois étaient des durs. »

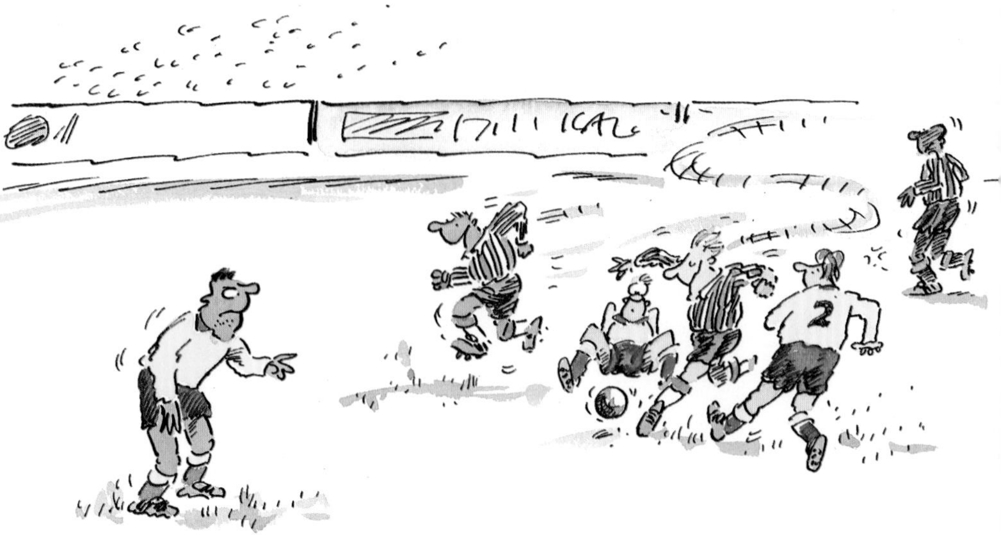

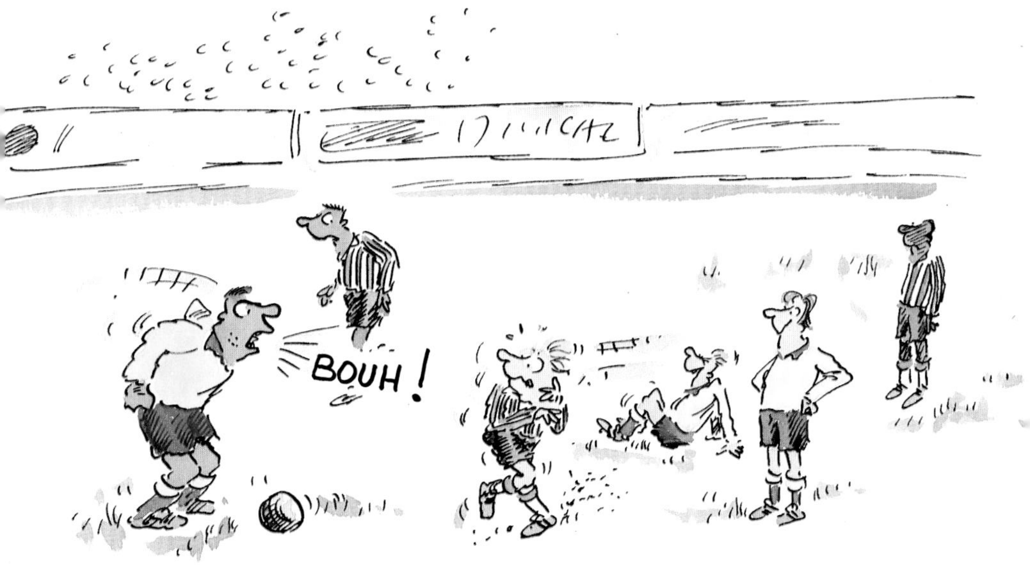
BOUH !

« Souriez ! »

« C'est la centième carte rouge de Bob ! »

« Assez efficace, leur n° 7 ? Qu'en pensez-vous ? »

« Mon cher Thierry, ce n'est pas parce que cet arbitre hollandais est stupide et borné que nous devons critiquer sa décision. Restons sportifs... »

« Et je puis vous dire que le joueur de Brive-Courcelles
n'est pas d'accord avec la décision de l'arbitre ! »

« Débat très animé, ce soir, sur notre antenne ! »

« Bon. Je récapitule : un maître-mot, faites circuler le ballon ! Elégance, précision, technique quoi ! Roland et Alain, créez des ouvertures sur les ailes. Paulo et Tony, ouvrez des espaces médians, et, pendant ce temps, Roger, tu fonces au centre et tu fauches tout ce que tu ne reconnais pas. »

« Pas d'histoires ! Un sponsor est un sponsor ! Exécution... »

« Il répète son pas de danse spontané « après le goal, dit merci au public ».

« Euh ! Ce que je disais des filles kinés... c'était pour rire ! »

« Votre transfert à 150 millions est tellement doué qu'il a lacé ses chaussures ensemble ! »

« La raison de notre défaite en Coupe ? Et bien, notre équipe est un peu jeune et, il faut le dire, elle n'a inscrit qu'un seul but en vingt rencontres. »

«Un transfert <u>libre</u>? Bonté du Ciel... non! Nous <u>payons</u> pour nous débarrasser de vous!»

« Il a voulu expliquer aux enfants sa technique de contrôle de balle... »

« Ecoute. Ce n'est pas parce que ton grand-père a acheté le ballon
qu'il a l'intention de jouer avec vous. »

« Pour lui, le foot c'est le froid qui pique les oreilles et la pluie qui dégouline. »

« Non seulement il joue mieux, mais il a un <u>nom</u> pourri de classe ! »

« Guatemala contre Equateur... n'importe quoi ! »

« Pour la dernière fois : maman vient pour une semaine s'installer chez nous, Isabelle est partie à Amsterdam vendre des livres de scientologie, et ta Mercédès a pris feu ! »

« Tu crois vraiment que si je me mets au foot, ton père me culbutera comme ça ? »

« Mon mari se fait du souci pour lui : il a demandé
une tenue d'arbitre pour Noël ! »

« Alors bon-papa m'a dit : « Je vais t'apprendre quelque chose
qu'on ne t'apprendra pas à l'école. » Et il a shooté très fort. »

« Laurent adore jouer au foot, il s'entraîne
à plonger sur le gazon. »

«Super! J'avais bien dit qu'il savait lire et écrire!»

« Le club des jeunes organise un match entre
les « Hommes » et les « Filles ». J'ai proposé que tu...

... sois juge de ligne. »

« C'est mon plus beau trophée : un dentier de gardien de but, finale de la coupe, 1963. »